Spaghetti

Ian Hugel

ISBN: 9798685073563

PREFACE

Spaghetti.

CONTENTS

INTRODUCTION

Spaghetti spaghetti spaghetti
spaghetti spaghetti spaghetti
spaghetti spaghetti spaghetti
spaghetti spaghetti spaghetti
spaghetti spaghetti spaghetti
spaghetti spaghetti spaghetti
spaghetti spaghetti spaghetti
spaghetti spaghetti spaghetti
spaghetti spaghetti spaghetti
spaghetti spaghetti spaghetti
spaghetti spaghetti spaghetti
spaghetti spaghetti spaghetti
spaghetti spaghetti spaghetti
spaghetti spaghetti spaghetti
spaghetti spaghetti spaghetti
spaghetti spaghetti spaghetti
spaghetti spaghetti spaghetti
spaghetti spaghetti spaghetti
spaghetti spaghetti spaghetti
spaghetti spaghetti spaghetti

spaghetti
spaghetti
spaghetti
spaghetti
spaghetti
spaghetti
spaghetti
spaghetti
spaghetti
spaghetti
spaghetti
spaghetti
spaghetti
spaghetti
spaghetti
spaghetti
spaghetti
spaghetti
spaghetti
spaghetti
spaghetti
spaghetti
spaghetti

spaghetti
spaghetti
spaghetti
spaghetti
spaghetti
spaghetti
spaghetti
spaghetti
spaghetti
spaghetti
spaghetti
spaghetti
spaghetti
spaghetti
spaghetti
spaghetti
spaghetti
spaghetti
spaghetti
spaghetti
spaghetti
spaghetti
spaghetti

spaghetti
spaghetti
spaghetti
spaghetti
spaghetti
spaghetti
spaghetti
spaghetti
spaghetti
spaghetti
spaghetti
spaghetti
spaghetti
spaghetti
spaghetti
spaghetti
spaghetti
spaghetti
spaghetti
spaghetti
spaghetti
spaghetti
spaghetti

spaghetti
spaghetti
spaghetti
spaghetti
spaghetti
spaghetti
spaghetti
spaghetti
spaghetti
spaghetti
spaghetti
spaghetti
spaghetti
spaghetti
spaghetti
spaghetti
spaghetti
spaghetti
spaghetti
spaghetti
spaghetti
spaghetti
spaghetti
spaghetti
spaghetti
spaghetti
spaghetti
spaghetti
spaghetti
spaghetti
spaghetti
spaghetti
spaghetti
spaghetti
spaghetti
spaghetti
spaghetti
spaghetti
spaghetti
spaghetti
spaghetti
spaghetti
spaghetti
spaghetti
spaghetti
spaghetti
spaghetti
spaghetti
spaghetti
spaghetti
spaghetti
spaghetti
spaghetti
spaghetti
spaghetti
spaghetti
spaghetti
spaghetti
spaghetti
spaghetti
spaghetti
spaghetti
spaghetti
spaghetti
spaghetti
spaghetti
spaghetti
spaghetti
spaghetti

spaghetti
spaghetti
spaghetti
spaghetti
spaghetti
spaghetti
spaghetti
spaghetti
spaghetti
spaghetti
spaghetti
spaghetti
spaghetti
spaghetti
spaghetti
spaghetti
spaghetti
spaghetti
spaghetti
spaghetti
spaghetti
spaghetti
spaghetti
spaghetti
spaghetti
spaghetti
spaghetti
spaghetti
spaghetti
spaghetti
spaghetti
spaghetti
spaghetti
spaghetti
spaghetti
spaghetti
spaghetti
spaghetti
spaghetti
spaghetti
spaghetti
spaghetti
spaghetti
spaghetti
spaghetti
spaghetti
spaghetti
spaghetti
spaghetti
spaghetti
spaghetti
spaghetti
spaghetti
spaghetti
spaghetti
spaghetti
spaghetti
spaghetti
spaghetti
spaghetti
spaghetti
spaghetti
spaghetti
spaghetti
spaghetti
spaghetti
spaghetti
spaghetti
spaghetti

spaghetti spaghetti spaghetti
spaghetti spaghetti spaghetti
spaghetti spaghetti spaghetti
spaghetti spaghetti spaghetti
spaghetti spaghetti spaghetti
spaghetti spaghetti spaghetti
spaghetti spaghetti spaghetti
spaghetti spaghetti spaghetti
spaghetti spaghetti spaghetti
spaghetti spaghetti spaghetti
spaghetti spaghetti spaghetti
spaghetti spaghetti spaghetti
spaghetti spaghetti spaghetti
spaghetti spaghetti spaghetti
spaghetti spaghetti spaghetti
spaghetti spaghetti spaghetti
spaghetti spaghetti spaghetti
spaghetti spaghetti spaghetti
spaghetti spaghetti spaghetti
spaghetti spaghetti spaghetti
spaghetti spaghetti spaghetti
spaghetti spaghetti spaghetti
spaghetti spaghetti spaghetti

spaghetti
spaghetti
spaghetti
spaghetti
spaghetti
spaghetti
spaghetti
spaghetti
spaghetti
spaghetti
spaghetti
spaghetti
spaghetti
spaghetti
spaghetti
spaghetti
spaghetti
spaghetti
spaghetti
spaghetti
spaghetti
spaghetti
spaghetti
spaghetti
spaghetti
spaghetti
spaghetti
spaghetti
spaghetti
spaghetti
spaghetti
spaghetti
spaghetti
spaghetti
spaghetti
spaghetti
spaghetti
spaghetti
spaghetti
spaghetti
spaghetti
spaghetti
spaghetti
spaghetti
spaghetti
spaghetti
spaghetti
spaghetti
spaghetti
spaghetti
spaghetti
spaghetti
spaghetti
spaghetti
spaghetti
spaghetti
spaghetti
spaghetti
spaghetti
spaghetti
spaghetti
spaghetti
spaghetti
spaghetti
spaghetti
spaghetti
spaghetti
spaghetti
spaghetti

spaghetti
spaghetti
spaghetti
spaghetti
spaghetti
spaghetti
spaghetti
spaghetti
spaghetti
spaghetti
spaghetti
spaghetti
spaghetti
spaghetti
spaghetti
spaghetti
spaghetti
spaghetti
spaghetti
spaghetti
spaghetti
spaghetti
spaghetti
spaghetti
spaghetti
spaghetti
spaghetti
spaghetti
spaghetti
spaghetti
spaghetti
spaghetti
spaghetti
spaghetti
spaghetti
spaghetti
spaghetti
spaghetti
spaghetti
spaghetti
spaghetti
spaghetti
spaghetti
spaghetti
spaghetti
spaghetti
spaghetti
spaghetti
spaghetti
spaghetti
spaghetti
spaghetti
spaghetti
spaghetti
spaghetti
spaghetti
spaghetti
spaghetti
spaghetti
spaghetti
spaghetti
spaghetti
spaghetti
spaghetti
spaghetti
spaghetti
spaghetti
spaghetti
spaghetti

spaghetti spaghetti spaghetti
spaghetti spaghetti spaghetti
spaghetti spaghetti spaghetti
spaghetti spaghetti spaghetti
spaghetti spaghetti spaghetti
spaghetti spaghetti spaghetti
spaghetti spaghetti spaghetti
spaghetti spaghetti spaghetti
spaghetti spaghetti spaghetti
spaghetti spaghetti spaghetti
spaghetti spaghetti spaghetti
spaghetti spaghetti spaghetti
spaghetti spaghetti spaghetti
spaghetti spaghetti spaghetti
spaghetti spaghetti spaghetti
spaghetti spaghetti spaghetti
spaghetti spaghetti spaghetti
spaghetti spaghetti spaghetti
spaghetti spaghetti spaghetti
spaghetti spaghetti spaghetti
spaghetti spaghetti spaghetti
spaghetti spaghetti spaghetti
spaghetti spaghetti spaghetti

spaghetti
spaghetti
spaghetti
spaghetti
spaghetti
spaghetti
spaghetti
spaghetti
spaghetti
spaghetti
spaghetti
spaghetti
spaghetti
spaghetti
spaghetti
spaghetti
spaghetti
spaghetti
spaghetti
spaghetti
spaghetti
spaghetti
spaghetti
spaghetti
spaghetti
spaghetti
spaghetti
spaghetti
spaghetti
spaghetti
spaghetti
spaghetti
spaghetti
spaghetti
spaghetti
spaghetti
spaghetti
spaghetti
spaghetti
spaghetti
spaghetti
spaghetti
spaghetti
spaghetti
spaghetti
spaghetti
spaghetti
spaghetti
spaghetti
spaghetti
spaghetti
spaghetti
spaghetti
spaghetti
spaghetti
spaghetti
spaghetti
spaghetti
spaghetti
spaghetti
spaghetti
spaghetti
spaghetti
spaghetti
spaghetti
spaghetti
spaghetti
spaghetti
spaghetti

spaghetti spaghetti spaghetti
spaghetti spaghetti spaghetti
spaghetti spaghetti spaghetti
spaghetti spaghetti spaghetti
spaghetti spaghetti spaghetti
spaghetti spaghetti spaghetti
spaghetti spaghetti spaghetti
spaghetti spaghetti spaghetti
spaghetti spaghetti spaghetti
spaghetti spaghetti spaghetti
spaghetti spaghetti spaghetti
spaghetti spaghetti spaghetti
spaghetti spaghetti spaghetti
spaghetti spaghetti spaghetti
spaghetti spaghetti spaghetti
spaghetti spaghetti spaghetti
spaghetti spaghetti spaghetti
spaghetti spaghetti spaghetti
spaghetti spaghetti spaghetti
spaghetti spaghetti spaghetti
spaghetti spaghetti spaghetti
spaghetti spaghetti spaghetti
spaghetti spaghetti spaghetti

spaghetti
spaghetti
spaghetti
spaghetti
spaghetti
spaghetti
spaghetti
spaghetti
spaghetti
spaghetti
spaghetti
spaghetti
spaghetti
spaghetti
spaghetti
spaghetti
spaghetti
spaghetti
spaghetti
spaghetti
spaghetti
spaghetti
spaghetti
spaghetti
spaghetti
spaghetti
spaghetti
spaghetti
spaghetti
spaghetti
spaghetti
spaghetti
spaghetti
spaghetti
spaghetti
spaghetti
spaghetti
spaghetti
spaghetti
spaghetti
spaghetti
spaghetti
spaghetti
spaghetti
spaghetti
spaghetti
spaghetti
spaghetti
spaghetti
spaghetti
spaghetti
spaghetti
spaghetti
spaghetti
spaghetti
spaghetti
spaghetti
spaghetti
spaghetti
spaghetti
spaghetti
spaghetti
spaghetti
spaghetti
spaghetti
spaghetti
spaghetti
spaghetti
spaghetti

spaghetti spaghetti spaghetti
spaghetti spaghetti spaghetti
spaghetti spaghetti spaghetti
spaghetti spaghetti spaghetti
spaghetti spaghetti spaghetti
spaghetti spaghetti spaghetti
spaghetti spaghetti spaghetti
spaghetti spaghetti spaghetti
spaghetti spaghetti spaghetti
spaghetti spaghetti spaghetti
spaghetti spaghetti spaghetti
spaghetti spaghetti spaghetti
spaghetti spaghetti spaghetti
spaghetti spaghetti spaghetti
spaghetti spaghetti spaghetti
spaghetti spaghetti spaghetti
spaghetti spaghetti spaghetti
spaghetti spaghetti spaghetti
spaghetti spaghetti spaghetti
spaghetti spaghetti spaghetti
spaghetti spaghetti spaghetti
spaghetti spaghetti spaghetti
spaghetti spaghetti spaghetti

spaghetti
spaghetti
spaghetti
spaghetti
spaghetti
spaghetti
spaghetti
spaghetti
spaghetti
spaghetti
spaghetti
spaghetti
spaghetti
spaghetti
spaghetti
spaghetti
spaghetti
spaghetti
spaghetti
spaghetti
spaghetti
spaghetti
spaghetti
spaghetti
spaghetti
spaghetti
spaghetti
spaghetti
spaghetti
spaghetti
spaghetti
spaghetti
spaghetti
spaghetti
spaghetti
spaghetti
spaghetti
spaghetti
spaghetti
spaghetti
spaghetti
spaghetti
spaghetti
spaghetti
spaghetti
spaghetti
spaghetti
spaghetti
spaghetti
spaghetti
spaghetti
spaghetti
spaghetti
spaghetti
spaghetti
spaghetti
spaghetti
spaghetti
spaghetti
spaghetti
spaghetti
spaghetti
spaghetti
spaghetti
spaghetti
spaghetti
spaghetti
spaghetti
spaghetti

spaghetti
spaghetti
spaghetti
spaghetti
spaghetti
spaghetti
spaghetti
spaghetti
spaghetti
spaghetti
spaghetti
spaghetti
spaghetti
spaghetti
spaghetti
spaghetti
spaghetti
spaghetti
spaghetti
spaghetti
spaghetti
spaghetti
spaghetti
spaghetti
spaghetti
spaghetti
spaghetti
spaghetti
spaghetti
spaghetti
spaghetti
spaghetti
spaghetti
spaghetti
spaghetti
spaghetti
spaghetti
spaghetti
spaghetti
spaghetti
spaghetti
spaghetti
spaghetti
spaghetti
spaghetti
spaghetti
spaghetti
spaghetti
spaghetti
spaghetti
spaghetti
spaghetti
spaghetti
spaghetti
spaghetti
spaghetti
spaghetti
spaghetti
spaghetti
spaghetti
spaghetti
spaghetti
spaghetti
spaghetti
spaghetti
spaghetti
spaghetti
spaghetti
spaghetti

spaghetti
spaghetti
spaghetti
spaghetti
spaghetti
spaghetti
spaghetti
spaghetti
spaghetti
spaghetti
spaghetti
spaghetti
spaghetti
spaghetti
spaghetti
spaghetti
spaghetti
spaghetti
spaghetti
spaghetti
spaghetti
spaghetti
spaghetti
spaghetti
spaghetti
spaghetti
spaghetti
spaghetti
spaghetti
spaghetti
spaghetti
spaghetti
spaghetti
spaghetti
spaghetti
spaghetti
spaghetti
spaghetti
spaghetti
spaghetti
spaghetti
spaghetti
spaghetti
spaghetti
spaghetti
spaghetti
spaghetti
spaghetti
spaghetti
spaghetti
spaghetti
spaghetti
spaghetti
spaghetti
spaghetti
spaghetti
spaghetti
spaghetti
spaghetti
spaghetti
spaghetti
spaghetti
spaghetti
spaghetti
spaghetti
spaghetti
spaghetti
spaghetti
spaghetti

spaghetti
spaghetti
spaghetti
spaghetti
spaghetti
spaghetti
spaghetti
spaghetti
spaghetti
spaghetti
spaghetti
spaghetti
spaghetti
spaghetti
spaghetti
spaghetti
spaghetti
spaghetti
spaghetti
spaghetti
spaghetti
spaghetti
spaghetti
spaghetti
spaghetti
spaghetti
spaghetti
spaghetti
spaghetti
spaghetti
spaghetti
spaghetti
spaghetti
spaghetti
spaghetti
spaghetti
spaghetti
spaghetti
spaghetti
spaghetti
spaghetti
spaghetti
spaghetti
spaghetti
spaghetti
spaghetti
spaghetti
spaghetti
spaghetti
spaghetti
spaghetti
spaghetti
spaghetti
spaghetti
spaghetti
spaghetti
spaghetti
spaghetti
spaghetti
spaghetti
spaghetti
spaghetti
spaghetti
spaghetti
spaghetti
spaghetti
spaghetti
spaghetti
spaghetti

spaghetti spaghetti spaghetti
spaghetti spaghetti spaghetti
spaghetti spaghetti spaghetti
spaghetti spaghetti spaghetti
spaghetti spaghetti spaghetti
spaghetti spaghetti spaghetti
spaghetti spaghetti spaghetti
spaghetti spaghetti spaghetti
spaghetti spaghetti spaghetti
spaghetti spaghetti spaghetti
spaghetti spaghetti spaghetti
spaghetti spaghetti spaghetti
spaghetti spaghetti spaghetti
spaghetti spaghetti spaghetti
spaghetti spaghetti spaghetti
spaghetti spaghetti spaghetti
spaghetti spaghetti spaghetti
spaghetti spaghetti spaghetti
spaghetti spaghetti spaghetti
spaghetti spaghetti spaghetti
spaghetti spaghetti spaghetti
spaghetti spaghetti spaghetti
spaghetti spaghetti spaghetti

spaghetti spaghetti spaghetti
spaghetti spaghetti spaghetti
spaghetti spaghetti spaghetti
spaghetti spaghetti spaghetti
spaghetti spaghetti spaghetti
spaghetti spaghetti spaghetti
spaghetti spaghetti spaghetti
spaghetti spaghetti spaghetti
spaghetti spaghetti spaghetti
spaghetti spaghetti spaghetti
spaghetti spaghetti spaghetti
spaghetti spaghetti spaghetti
spaghetti spaghetti spaghetti
spaghetti spaghetti spaghetti
spaghetti spaghetti spaghetti
spaghetti spaghetti spaghetti
spaghetti spaghetti spaghetti
spaghetti spaghetti spaghetti
spaghetti spaghetti spaghetti
spaghetti spaghetti spaghetti
spaghetti spaghetti spaghetti
spaghetti spaghetti spaghetti
spaghetti spaghetti spaghetti

spaghetti
spaghetti
spaghetti
spaghetti
spaghetti
spaghetti
spaghetti
spaghetti
spaghetti
spaghetti
spaghetti
spaghetti
spaghetti
spaghetti
spaghetti
spaghetti
spaghetti
spaghetti
spaghetti
spaghetti
spaghetti
spaghetti
spaghetti
spaghetti
spaghetti
spaghetti
spaghetti
spaghetti
spaghetti
spaghetti
spaghetti
spaghetti
spaghetti
spaghetti
spaghetti
spaghetti
spaghetti
spaghetti
spaghetti
spaghetti
spaghetti
spaghetti
spaghetti
spaghetti
spaghetti
spaghetti
spaghetti
spaghetti
spaghetti
spaghetti
spaghetti
spaghetti
spaghetti
spaghetti
spaghetti
spaghetti
spaghetti
spaghetti
spaghetti
spaghetti
spaghetti
spaghetti
spaghetti
spaghetti
spaghetti
spaghetti
spaghetti
spaghetti
spaghetti

spaghetti
spaghetti
spaghetti
spaghetti
spaghetti
spaghetti
spaghetti
spaghetti
spaghetti
spaghetti
spaghetti
spaghetti
spaghetti
spaghetti
spaghetti
spaghetti
spaghetti
spaghetti
spaghetti
spaghetti
spaghetti
spaghetti
spaghetti
spaghetti
spaghetti
spaghetti
spaghetti
spaghetti
spaghetti
spaghetti
spaghetti
spaghetti
spaghetti
spaghetti
spaghetti
spaghetti
spaghetti
spaghetti
spaghetti
spaghetti
spaghetti
spaghetti
spaghetti
spaghetti
spaghetti
spaghetti
spaghetti
spaghetti
spaghetti
spaghetti
spaghetti
spaghetti
spaghetti
spaghetti
spaghetti
spaghetti
spaghetti
spaghetti
spaghetti
spaghetti
spaghetti
spaghetti
spaghetti
spaghetti
spaghetti
spaghetti
spaghetti
spaghetti
spaghetti

spaghetti
spaghetti
spaghetti
spaghetti
spaghetti
spaghetti
spaghetti
spaghetti
spaghetti
spaghetti
spaghetti
spaghetti
spaghetti
spaghetti
spaghetti
spaghetti
spaghetti
spaghetti
spaghetti
spaghetti
spaghetti
spaghetti
spaghetti
spaghetti
spaghetti
spaghetti
spaghetti
spaghetti
spaghetti
spaghetti
spaghetti
spaghetti
spaghetti
spaghetti
spaghetti
spaghetti
spaghetti
spaghetti
spaghetti
spaghetti
spaghetti
spaghetti
spaghetti
spaghetti
spaghetti
spaghetti
spaghetti
spaghetti
spaghetti
spaghetti
spaghetti
spaghetti
spaghetti
spaghetti
spaghetti
spaghetti
spaghetti
spaghetti
spaghetti
spaghetti
spaghetti
spaghetti
spaghetti
spaghetti
spaghetti
spaghetti
spaghetti
spaghetti
spaghetti

spaghetti
spaghetti
spaghetti
spaghetti
spaghetti
spaghetti
spaghetti
spaghetti
spaghetti
spaghetti
spaghetti
spaghetti
spaghetti
spaghetti
spaghetti
spaghetti
spaghetti
spaghetti
spaghetti
spaghetti
spaghetti
spaghetti
spaghetti
spaghetti
spaghetti
spaghetti
spaghetti
spaghetti
spaghetti
spaghetti
spaghetti
spaghetti
spaghetti
spaghetti
spaghetti
spaghetti
spaghetti
spaghetti
spaghetti
spaghetti
spaghetti
spaghetti
spaghetti
spaghetti
spaghetti
spaghetti
spaghetti
spaghetti
spaghetti
spaghetti
spaghetti
spaghetti
spaghetti
spaghetti
spaghetti
spaghetti
spaghetti
spaghetti
spaghetti
spaghetti
spaghetti
spaghetti
spaghetti
spaghetti
spaghetti
spaghetti
spaghetti
spaghetti
spaghetti

spaghetti
spaghetti
spaghetti
spaghetti
spaghetti
spaghetti
spaghetti
spaghetti
spaghetti
spaghetti
spaghetti
spaghetti
spaghetti
spaghetti
spaghetti
spaghetti
spaghetti
spaghetti
spaghetti
spaghetti
spaghetti
spaghetti
spaghetti
spaghetti
spaghetti
spaghetti
spaghetti
spaghetti
spaghetti
spaghetti
spaghetti
spaghetti
spaghetti
spaghetti
spaghetti
spaghetti
spaghetti
spaghetti
spaghetti
spaghetti
spaghetti
spaghetti
spaghetti
spaghetti
spaghetti
spaghetti
spaghetti
spaghetti
spaghetti
spaghetti
spaghetti
spaghetti
spaghetti
spaghetti
spaghetti
spaghetti
spaghetti
spaghetti
spaghetti
spaghetti
spaghetti
spaghetti
spaghetti
spaghetti
spaghetti
spaghetti
spaghetti
spaghetti
spaghetti

spaghetti spaghetti spaghetti
spaghetti spaghetti spaghetti
spaghetti spaghetti spaghetti
spaghetti spaghetti spaghetti
spaghetti spaghetti spaghetti
spaghetti spaghetti spaghetti
spaghetti spaghetti spaghetti
spaghetti spaghetti spaghetti
spaghetti spaghetti spaghetti
spaghetti spaghetti spaghetti
spaghetti spaghetti spaghetti
spaghetti spaghetti spaghetti
spaghetti spaghetti spaghetti
spaghetti spaghetti spaghetti
spaghetti spaghetti spaghetti
spaghetti spaghetti spaghetti
spaghetti spaghetti spaghetti
spaghetti spaghetti spaghetti
spaghetti spaghetti spaghetti
spaghetti spaghetti spaghetti
spaghetti spaghetti spaghetti
spaghetti spaghetti spaghetti
spaghetti spaghetti spaghetti

spaghetti spaghetti spaghetti
spaghetti spaghetti spaghetti
spaghetti spaghetti spaghetti
spaghetti spaghetti spaghetti
spaghetti spaghetti spaghetti
spaghetti spaghetti spaghetti
spaghetti spaghetti spaghetti
spaghetti spaghetti spaghetti
spaghetti spaghetti spaghetti
spaghetti spaghetti spaghetti
spaghetti spaghetti spaghetti
spaghetti spaghetti spaghetti
spaghetti spaghetti spaghetti
spaghetti spaghetti spaghetti
spaghetti spaghetti spaghetti
spaghetti spaghetti spaghetti
spaghetti spaghetti spaghetti
spaghetti spaghetti spaghetti
spaghetti spaghetti spaghetti
spaghetti spaghetti spaghetti
spaghetti spaghetti spaghetti
spaghetti spaghetti spaghetti

spaghetti spaghetti spaghetti
spaghetti spaghetti spaghetti
spaghetti spaghetti spaghetti
spaghetti spaghetti spaghetti
spaghetti spaghetti spaghetti
spaghetti spaghetti spaghetti
spaghetti spaghetti spaghetti
spaghetti spaghetti spaghetti
spaghetti spaghetti spaghetti
spaghetti spaghetti spaghetti
spaghetti spaghetti spaghetti
spaghetti spaghetti spaghetti
spaghetti spaghetti spaghetti
spaghetti spaghetti spaghetti
spaghetti spaghetti spaghetti
spaghetti spaghetti spaghetti
spaghetti spaghetti spaghetti
spaghetti spaghetti spaghetti
spaghetti spaghetti spaghetti
spaghetti spaghetti spaghetti
spaghetti spaghetti spaghetti
spaghetti spaghetti.

Spaghetti?

1

SPAGHETTI

Spaghetti spaghetti spaghetti spaghetti spaghetti.

Spaghetti.

Spaghetti.

2

SPAGHETTI

Spaghetti.

Spaghetti spaghetti
spaghetti spaghetti
spaghetti spaghetti
spaghetti spaghetti
spaghetti spaghetti.
Spaghetti spaghetti
spaghetti spaghetti
spaghetti spaghetti
spaghetti spaghetti
spaghetti spaghetti
spaghetti spaghetti.

Spaghetti
spaghetti.
Spaghetti
spaghetti.

3

SPAGHETTI

Spaghetti.

Spaghetti spaghetti spaghetti spaghetti spaghetti. Spaghetti spaghetti.

4

SPAGHETTI

Spaghetti spaghetti spaghetti. Spaghetti spaghetti.

Spaghetti. Spaghetti spaghetti
spaghetti spaghetti spaghetti spaghetti
spaghetti spaghetti spaghetti spaghetti
spaghetti spaghetti spaghetti spaghetti
spaghetti spaghetti spaghetti spaghetti
spaghetti spaghetti spaghetti spaghetti
spaghetti spaghetti spaghetti spaghetti
spaghetti spaghetti spaghetti spaghetti
spaghetti spaghetti spaghetti spaghetti
spaghetti spaghetti spaghetti spaghetti
spaghetti spaghetti spaghetti spaghetti
spaghetti spaghetti spaghetti spaghetti
spaghetti spaghetti spaghetti spaghetti
spaghetti spaghetti spaghetti spaghetti
spaghetti spaghetti spaghetti spaghetti
spaghetti spaghetti spaghetti spaghetti
spaghetti spaghetti spaghetti spaghetti
spaghetti spaghetti spaghetti spaghetti
spaghetti spaghetti spaghetti spaghetti
spaghetti spaghetti spaghetti spaghetti
spaghetti spaghetti spaghetti spaghetti
spaghetti spaghetti spaghetti spaghetti
spaghetti spaghetti spaghetti spaghetti
spaghetti spaghetti spaghetti spaghetti

spaghetti spaghetti spaghetti spaghetti
spaghetti spaghetti spaghetti spaghetti
spaghetti spaghetti spaghetti spaghetti
spaghetti spaghetti spaghetti spaghetti
spaghetti spaghetti spaghetti spaghetti
spaghetti spaghetti spaghetti spaghetti
spaghetti spaghetti spaghetti spaghetti
spaghetti spaghetti spaghetti spaghetti
spaghetti spaghetti spaghetti spaghetti
spaghetti spaghetti spaghetti spaghetti
spaghetti spaghetti spaghetti spaghetti
spaghetti spaghetti spaghetti spaghetti
spaghetti spaghetti spaghetti spaghetti
spaghetti spaghetti spaghetti spaghetti
spaghetti spaghetti spaghetti spaghetti
spaghetti spaghetti spaghetti spaghetti
spaghetti spaghetti spaghetti spaghetti
spaghetti spaghetti spaghetti spaghetti
spaghetti spaghetti spaghetti spaghetti
spaghetti spaghetti spaghetti spaghetti
spaghetti spaghetti spaghetti spaghetti
spaghetti spaghetti spaghetti spaghetti
spaghetti spaghetti spaghetti spaghetti
spaghetti spaghetti spaghetti spaghetti
spaghetti spaghetti spaghetti spaghetti

spaghetti spaghetti spaghetti spaghetti
spaghetti spaghetti spaghetti spaghetti
spaghetti spaghetti spaghetti spaghetti
spaghetti spaghetti spaghetti spaghetti
spaghetti spaghetti spaghetti spaghetti
spaghetti spaghetti spaghetti spaghetti
spaghetti spaghetti spaghetti spaghetti
spaghetti spaghetti spaghetti spaghetti
spaghetti spaghetti spaghetti spaghetti
spaghetti spaghetti spaghetti spaghetti
spaghetti spaghetti spaghetti spaghetti
spaghetti spaghetti spaghetti spaghetti
spaghetti spaghetti spaghetti spaghetti
spaghetti spaghetti spaghetti spaghetti
spaghetti spaghetti spaghetti spaghetti
spaghetti spaghetti spaghetti spaghetti
spaghetti spaghetti spaghetti spaghetti
spaghetti spaghetti spaghetti spaghetti
spaghetti spaghetti spaghetti spaghetti
spaghetti spaghetti spaghetti spaghetti
spaghetti spaghetti spaghetti spaghetti
spaghetti spaghetti spaghetti spaghetti
spaghetti spaghetti spaghetti spaghetti
spaghetti spaghetti spaghetti spaghetti

spaghetti spaghetti spaghetti spaghetti
spaghetti spaghetti spaghetti spaghetti
spaghetti spaghetti spaghetti spaghetti
spaghetti spaghetti spaghetti spaghetti
spaghetti spaghetti spaghetti spaghetti
spaghetti spaghetti spaghetti spaghetti
spaghetti spaghetti spaghetti spaghetti
spaghetti spaghetti spaghetti spaghetti
spaghetti spaghetti spaghetti spaghetti
spaghetti spaghetti spaghetti spaghetti
spaghetti spaghetti spaghetti spaghetti
spaghetti spaghetti spaghetti spaghetti
spaghetti spaghetti spaghetti spaghetti
spaghetti spaghetti spaghetti spaghetti
spaghetti spaghetti spaghetti spaghetti
spaghetti spaghetti spaghetti spaghetti
spaghetti spaghetti spaghetti spaghetti
spaghetti spaghetti spaghetti spaghetti
spaghetti spaghetti spaghetti spaghetti
spaghetti spaghetti spaghetti spaghetti
spaghetti spaghetti spaghetti spaghetti
spaghetti spaghetti spaghetti spaghetti
spaghetti spaghetti spaghetti spaghetti
spaghetti spaghetti spaghetti spaghetti
spaghetti spaghetti spaghetti spaghetti

spaghetti spaghetti spaghetti spaghetti
spaghetti spaghetti spaghetti spaghetti
spaghetti spaghetti spaghetti spaghetti
spaghetti spaghetti spaghetti spaghetti
spaghetti spaghetti spaghetti spaghetti
spaghetti spaghetti spaghetti spaghetti
spaghetti spaghetti spaghetti spaghetti
spaghetti spaghetti spaghetti spaghetti
spaghetti spaghetti spaghetti spaghetti
spaghetti spaghetti spaghetti spaghetti
spaghetti spaghetti spaghetti spaghetti
spaghetti spaghetti spaghetti spaghetti
spaghetti spaghetti spaghetti spaghetti
spaghetti spaghetti spaghetti spaghetti
spaghetti spaghetti spaghetti spaghetti
spaghetti spaghetti spaghetti spaghetti
spaghetti spaghetti spaghetti spaghetti
spaghetti spaghetti spaghetti spaghetti
spaghetti spaghetti spaghetti spaghetti
spaghetti spaghetti spaghetti spaghetti
spaghetti spaghetti spaghetti spaghetti
spaghetti spaghetti spaghetti spaghetti
spaghetti spaghetti spaghetti spaghetti
spaghetti spaghetti spaghetti spaghetti
spaghetti spaghetti spaghetti spaghetti

spaghetti spaghetti spaghetti spaghetti
spaghetti spaghetti spaghetti spaghetti
spaghetti spaghetti spaghetti spaghetti
spaghetti spaghetti spaghetti spaghetti
spaghetti spaghetti spaghetti spaghetti
spaghetti spaghetti spaghetti spaghetti
spaghetti spaghetti spaghetti spaghetti
spaghetti spaghetti spaghetti spaghetti
spaghetti spaghetti spaghetti spaghetti
spaghetti spaghetti spaghetti spaghetti
spaghetti spaghetti spaghetti spaghetti
spaghetti spaghetti spaghetti spaghetti
spaghetti spaghetti spaghetti spaghetti
spaghetti spaghetti spaghetti spaghetti
spaghetti spaghetti spaghetti spaghetti
spaghetti spaghetti spaghetti spaghetti
spaghetti spaghetti spaghetti spaghetti
spaghetti spaghetti spaghetti spaghetti
spaghetti spaghetti spaghetti spaghetti
spaghetti spaghetti spaghetti spaghetti
spaghetti spaghetti spaghetti spaghetti
spaghetti spaghetti spaghetti spaghetti
spaghetti spaghetti spaghetti spaghetti
spaghetti spaghetti spaghetti spaghetti
spaghetti spaghetti spaghetti spaghetti

spaghetti spaghetti spaghetti spaghetti
spaghetti spaghetti spaghetti spaghetti
spaghetti spaghetti spaghetti spaghetti
spaghetti spaghetti spaghetti spaghetti
spaghetti spaghetti spaghetti spaghetti
spaghetti spaghetti spaghetti spaghetti
spaghetti spaghetti spaghetti spaghetti
spaghetti spaghetti spaghetti spaghetti
spaghetti spaghetti spaghetti spaghetti
spaghetti spaghetti spaghetti spaghetti
spaghetti spaghetti spaghetti spaghetti
spaghetti spaghetti spaghetti spaghetti
spaghetti spaghetti spaghetti spaghetti
spaghetti spaghetti spaghetti spaghetti
spaghetti spaghetti spaghetti spaghetti
spaghetti spaghetti spaghetti spaghetti
spaghetti spaghetti spaghetti spaghetti
spaghetti spaghetti spaghetti spaghetti
spaghetti spaghetti spaghetti spaghetti
spaghetti spaghetti spaghetti spaghetti
spaghetti spaghetti spaghetti spaghetti
spaghetti spaghetti spaghetti spaghetti
spaghetti spaghetti spaghetti spaghetti
spaghetti spaghetti spaghetti spaghetti
spaghetti spaghetti spaghetti spaghetti

spaghetti spaghetti spaghetti spaghetti
spaghetti spaghetti spaghetti spaghetti
spaghetti spaghetti spaghetti spaghetti
spaghetti spaghetti spaghetti spaghetti
spaghetti spaghetti spaghetti spaghetti
spaghetti spaghetti spaghetti spaghetti
spaghetti spaghetti spaghetti spaghetti
spaghetti spaghetti spaghetti spaghetti
spaghetti spaghetti spaghetti spaghetti
spaghetti spaghetti spaghetti spaghetti
spaghetti spaghetti spaghetti spaghetti
spaghetti spaghetti spaghetti spaghetti
spaghetti spaghetti spaghetti spaghetti
spaghetti spaghetti spaghetti spaghetti
spaghetti spaghetti spaghetti spaghetti
spaghetti spaghetti spaghetti spaghetti
spaghetti spaghetti spaghetti spaghetti
spaghetti spaghetti spaghetti spaghetti
spaghetti spaghetti spaghetti spaghetti
spaghetti spaghetti spaghetti spaghetti
spaghetti spaghetti spaghetti spaghetti
spaghetti spaghetti spaghetti spaghetti
spaghetti spaghetti spaghetti spaghetti
spaghetti spaghetti spaghetti spaghetti
spaghetti spaghetti spaghetti spaghetti
spaghetti spaghetti spaghetti spaghetti
spaghetti spaghetti spaghetti spaghetti
spaghetti spaghetti spaghetti spaghetti

spaghetti spaghetti spaghetti spaghetti
spaghetti spaghetti spaghetti spaghetti
spaghetti spaghetti spaghetti spaghetti
spaghetti spaghetti spaghetti spaghetti
spaghetti spaghetti spaghetti spaghetti
spaghetti spaghetti spaghetti spaghetti
spaghetti spaghetti spaghetti spaghetti
spaghetti spaghetti spaghetti spaghetti
spaghetti spaghetti spaghetti spaghetti
spaghetti spaghetti spaghetti spaghetti
spaghetti spaghetti spaghetti spaghetti
spaghetti spaghetti spaghetti spaghetti
spaghetti spaghetti spaghetti spaghetti
spaghetti spaghetti spaghetti spaghetti
spaghetti spaghetti spaghetti spaghetti
spaghetti spaghetti spaghetti spaghetti
spaghetti spaghetti spaghetti spaghetti
spaghetti spaghetti spaghetti spaghetti
spaghetti spaghetti spaghetti spaghetti
spaghetti spaghetti spaghetti spaghetti
spaghetti spaghetti spaghetti spaghetti
spaghetti spaghetti spaghetti spaghetti
spaghetti spaghetti spaghetti spaghetti
spaghetti spaghetti spaghetti spaghetti
spaghetti spaghetti spaghetti spaghetti

spaghetti spaghetti spaghetti spaghetti
spaghetti spaghetti spaghetti spaghetti
spaghetti spaghetti spaghetti spaghetti
spaghetti spaghetti spaghetti spaghetti
spaghetti spaghetti spaghetti spaghetti
spaghetti spaghetti spaghetti spaghetti
spaghetti spaghetti spaghetti spaghetti
spaghetti spaghetti spaghetti spaghetti
spaghetti spaghetti spaghetti spaghetti
spaghetti spaghetti spaghetti spaghetti
spaghetti spaghetti spaghetti spaghetti
spaghetti spaghetti spaghetti spaghetti
spaghetti spaghetti spaghetti spaghetti
spaghetti spaghetti spaghetti spaghetti
spaghetti spaghetti spaghetti spaghetti
spaghetti spaghetti spaghetti spaghetti
spaghetti spaghetti spaghetti spaghetti
spaghetti spaghetti spaghetti spaghetti
spaghetti spaghetti spaghetti spaghetti
spaghetti spaghetti spaghetti spaghetti
spaghetti spaghetti spaghetti spaghetti
spaghetti spaghetti spaghetti spaghetti
spaghetti spaghetti spaghetti spaghetti
spaghetti spaghetti spaghetti spaghetti
spaghetti spaghetti spaghetti spaghetti

spaghetti spaghetti spaghetti spaghetti
spaghetti spaghetti spaghetti spaghetti
spaghetti spaghetti spaghetti spaghetti
spaghetti spaghetti spaghetti spaghetti
spaghetti spaghetti spaghetti spaghetti
spaghetti spaghetti spaghetti spaghetti
spaghetti spaghetti spaghetti spaghetti
spaghetti spaghetti spaghetti spaghetti
spaghetti spaghetti spaghetti spaghetti
spaghetti spaghetti spaghetti spaghetti
spaghetti spaghetti spaghetti spaghetti
spaghetti spaghetti spaghetti spaghetti
spaghetti spaghetti spaghetti spaghetti
spaghetti spaghetti spaghetti spaghetti
spaghetti spaghetti spaghetti spaghetti
spaghetti spaghetti spaghetti spaghetti
spaghetti spaghetti spaghetti spaghetti
spaghetti spaghetti spaghetti spaghetti
spaghetti spaghetti spaghetti spaghetti
spaghetti spaghetti spaghetti spaghetti
spaghetti spaghetti spaghetti spaghetti
spaghetti spaghetti spaghetti spaghetti
spaghetti spaghetti spaghetti spaghetti
spaghetti spaghetti spaghetti spaghetti
spaghetti spaghetti spaghetti spaghetti

spaghetti spaghetti spaghetti spaghetti
spaghetti spaghetti spaghetti spaghetti
spaghetti spaghetti spaghetti spaghetti
spaghetti spaghetti spaghetti spaghetti
spaghetti spaghetti spaghetti spaghetti
spaghetti spaghetti spaghetti spaghetti
spaghetti spaghetti spaghetti spaghetti
spaghetti spaghetti spaghetti spaghetti
spaghetti spaghetti spaghetti spaghetti
spaghetti spaghetti spaghetti spaghetti
spaghetti spaghetti spaghetti spaghetti
spaghetti spaghetti spaghetti spaghetti
spaghetti spaghetti spaghetti spaghetti
spaghetti spaghetti spaghetti spaghetti
spaghetti spaghetti spaghetti spaghetti
spaghetti spaghetti spaghetti spaghetti
spaghetti spaghetti spaghetti spaghetti
spaghetti spaghetti spaghetti spaghetti
spaghetti spaghetti spaghetti spaghetti
spaghetti spaghetti spaghetti spaghetti
spaghetti spaghetti spaghetti spaghetti
spaghetti spaghetti spaghetti spaghetti
spaghetti spaghetti spaghetti spaghetti
spaghetti spaghetti spaghetti spaghetti
spaghetti spaghetti spaghetti spaghetti

spaghetti spaghetti spaghetti spaghetti
spaghetti spaghetti spaghetti spaghetti
spaghetti spaghetti spaghetti spaghetti
spaghetti spaghetti spaghetti spaghetti
spaghetti spaghetti spaghetti spaghetti
spaghetti spaghetti spaghetti spaghetti
spaghetti spaghetti spaghetti spaghetti
spaghetti spaghetti spaghetti spaghetti
spaghetti spaghetti spaghetti spaghetti
spaghetti spaghetti spaghetti spaghetti
spaghetti spaghetti spaghetti spaghetti
spaghetti spaghetti spaghetti spaghetti
spaghetti spaghetti spaghetti spaghetti
spaghetti spaghetti spaghetti spaghetti
spaghetti spaghetti spaghetti spaghetti
spaghetti spaghetti spaghetti spaghetti
spaghetti spaghetti spaghetti spaghetti
spaghetti spaghetti spaghetti spaghetti
spaghetti spaghetti spaghetti spaghetti
spaghetti spaghetti spaghetti spaghetti
spaghetti spaghetti spaghetti spaghetti
spaghetti spaghetti spaghetti spaghetti
spaghetti spaghetti spaghetti spaghetti
spaghetti spaghetti spaghetti spaghetti
spaghetti spaghetti spaghetti spaghetti

spaghetti spaghetti spaghetti spaghetti
spaghetti spaghetti spaghetti spaghetti
spaghetti spaghetti spaghetti spaghetti
spaghetti spaghetti spaghetti spaghetti
spaghetti spaghetti spaghetti spaghetti
spaghetti spaghetti spaghetti spaghetti
spaghetti spaghetti spaghetti spaghetti
spaghetti spaghetti spaghetti spaghetti
spaghetti spaghetti spaghetti spaghetti
spaghetti spaghetti spaghetti spaghetti
spaghetti spaghetti spaghetti spaghetti
spaghetti spaghetti spaghetti spaghetti
spaghetti spaghetti spaghetti spaghetti
spaghetti spaghetti spaghetti spaghetti
spaghetti spaghetti spaghetti spaghetti
spaghetti spaghetti spaghetti spaghetti
spaghetti spaghetti spaghetti spaghetti
spaghetti spaghetti spaghetti spaghetti
spaghetti spaghetti spaghetti spaghetti
spaghetti spaghetti spaghetti spaghetti
spaghetti spaghetti spaghetti spaghetti
spaghetti spaghetti spaghetti spaghetti
spaghetti spaghetti spaghetti spaghetti
spaghetti spaghetti spaghetti spaghetti
spaghetti spaghetti spaghetti spaghetti

spaghetti spaghetti spaghetti spaghetti
spaghetti spaghetti spaghetti spaghetti
spaghetti spaghetti spaghetti spaghetti
spaghetti spaghetti spaghetti spaghetti
spaghetti spaghetti spaghetti spaghetti
spaghetti spaghetti spaghetti spaghetti
spaghetti spaghetti spaghetti spaghetti
spaghetti spaghetti spaghetti spaghetti
spaghetti spaghetti spaghetti spaghetti
spaghetti spaghetti spaghetti spaghetti
spaghetti spaghetti spaghetti spaghetti
spaghetti spaghetti spaghetti spaghetti
spaghetti spaghetti spaghetti spaghetti
spaghetti spaghetti spaghetti spaghetti
spaghetti spaghetti spaghetti spaghetti
spaghetti spaghetti spaghetti spaghetti
spaghetti spaghetti spaghetti spaghetti
spaghetti spaghetti spaghetti spaghetti
spaghetti spaghetti spaghetti spaghetti
spaghetti spaghetti spaghetti spaghetti
spaghetti spaghetti spaghetti spaghetti
spaghetti spaghetti spaghetti spaghetti
spaghetti spaghetti spaghetti spaghetti
spaghetti spaghetti spaghetti spaghetti
spaghetti spaghetti spaghetti spaghetti

spaghetti spaghetti spaghetti spaghetti
spaghetti spaghetti spaghetti spaghetti
spaghetti spaghetti spaghetti spaghetti
spaghetti spaghetti spaghetti spaghetti
spaghetti spaghetti spaghetti spaghetti
spaghetti spaghetti spaghetti spaghetti
spaghetti spaghetti spaghetti spaghetti
spaghetti spaghetti spaghetti spaghetti
spaghetti spaghetti spaghetti spaghetti
spaghetti spaghetti spaghetti spaghetti
spaghetti spaghetti spaghetti spaghetti
spaghetti spaghetti spaghetti spaghetti
spaghetti spaghetti spaghetti spaghetti
spaghetti spaghetti spaghetti spaghetti
spaghetti spaghetti spaghetti spaghetti
spaghetti spaghetti spaghetti spaghetti
spaghetti spaghetti spaghetti spaghetti
spaghetti spaghetti spaghetti spaghetti
spaghetti spaghetti spaghetti spaghetti
spaghetti spaghetti spaghetti spaghetti
spaghetti spaghetti spaghetti spaghetti
spaghetti spaghetti spaghetti spaghetti
spaghetti spaghetti spaghetti spaghetti
spaghetti spaghetti spaghetti spaghetti
spaghetti spaghetti spaghetti spaghetti

spaghetti spaghetti spaghetti spaghetti
spaghetti spaghetti spaghetti spaghetti
spaghetti spaghetti spaghetti spaghetti
spaghetti spaghetti spaghetti spaghetti
spaghetti spaghetti spaghetti spaghetti
spaghetti spaghetti spaghetti spaghetti
spaghetti spaghetti spaghetti spaghetti
spaghetti spaghetti spaghetti spaghetti
spaghetti spaghetti spaghetti spaghetti
spaghetti spaghetti spaghetti spaghetti
spaghetti spaghetti spaghetti spaghetti
spaghetti spaghetti spaghetti spaghetti
spaghetti spaghetti spaghetti spaghetti
spaghetti spaghetti spaghetti spaghetti
spaghetti spaghetti spaghetti spaghetti
spaghetti spaghetti spaghetti spaghetti
spaghetti spaghetti spaghetti spaghetti
spaghetti spaghetti spaghetti spaghetti
spaghetti spaghetti spaghetti spaghetti
spaghetti spaghetti spaghetti spaghetti
spaghetti spaghetti spaghetti spaghetti
spaghetti spaghetti spaghetti spaghetti
spaghetti spaghetti spaghetti spaghetti
spaghetti spaghetti spaghetti spaghetti
spaghetti spaghetti spaghetti spaghetti

spaghetti spaghetti spaghetti spaghetti
spaghetti spaghetti spaghetti spaghetti
spaghetti spaghetti spaghetti spaghetti
spaghetti spaghetti spaghetti spaghetti
spaghetti spaghetti spaghetti spaghetti
spaghetti spaghetti spaghetti spaghetti
spaghetti spaghetti spaghetti spaghetti
spaghetti spaghetti spaghetti spaghetti
spaghetti spaghetti spaghetti spaghetti
spaghetti spaghetti spaghetti spaghetti
spaghetti spaghetti spaghetti spaghetti
spaghetti spaghetti spaghetti spaghetti
spaghetti spaghetti spaghetti spaghetti
spaghetti spaghetti spaghetti spaghetti
spaghetti spaghetti spaghetti spaghetti
spaghetti spaghetti spaghetti spaghetti
spaghetti spaghetti spaghetti spaghetti
spaghetti spaghetti spaghetti spaghetti
spaghetti spaghetti spaghetti spaghetti
spaghetti spaghetti spaghetti spaghetti
spaghetti spaghetti.

Spaghetti.

5

SPAGHETTI

Spaghetti spaghetti.

Spaghetti spaghetti.

Spaghetti spaghetti.

Spaghetti spaghetti.

6

SPAGHETTI

Spaghetti.

7

SPAGHETTI

Spaghetti spaghetti spaghetti spaghetti spaghetti.

Spaghetti
spaghetti
spaghetti
spaghetti

spaghetti
spaghetti
spaghetti
spaghetti
spaghetti
spaghetti
spaghetti
spaghetti

spaghetti
spaghetti
spaghetti
spaghetti
spaghetti
spaghetti
spaghetti
spaghetti

spaghetti
spaghetti
spaghetti
spaghetti
spaghetti
spaghetti
spaghetti
spaghetti

spaghetti
spaghetti
spaghetti
spaghetti
spaghetti
spaghetti
spaghetti
spaghetti

spaghetti
spaghetti
spaghetti
spaghetti
spaghetti
spaghetti
spaghetti
spaghetti

spaghetti
spaghetti
spaghetti
spaghetti
spaghetti
spaghetti
spaghett
spaghetti

spaghetti
spaghetti
spaghetti
spaghetti
spaghetti
spaghetti
spaghetti
spaghetti

spaghetti
spaghetti
spaghetti
spaghetti
spaghetti
spaghetti
spaghetti
spaghetti

spaghetti
spaghetti
spaghetti
spaghetti
spaghetti
spaghetti
spaghetti
spaghetti

spaghetti
spaghetti
spaghetti
spaghetti
spaghetti
spaghetti
spaghetti
spaghetti

spaghetti
spaghetti
spaghetti
spaghetti
spaghetti
spaghetti
spaghetti
spaghetti

spaghetti
spaghetti
spaghetti
spaghetti
spaghetti
spaghetti
spaghetti
spaghetti

spaghetti
spaghetti
spaghetti
spaghetti
spaghetti
spaghetti
spaghetti
spaghetti

spaghetti
spaghetti
spaghetti
spaghetti
spaghetti
spaghetti
spaghetti
spaghetti

spaghetti
spaghetti
spaghetti
spaghetti
spaghetti
spaghetti
spaghetti
spaghetti

spaghetti
spaghetti
spaghetti
spaghetti
spaghetti
spaghetti
spaghetti
spaghetti

spaghetti
spaghetti
spaghetti
spaghetti
spaghetti
spaghetti
spaghetti
spaghetti

spaghetti
spaghetti
spaghetti
spaghetti
spaghetti
spaghetti
spaghetti
spaghetti

spaghetti
spaghetti
spaghetti
spaghetti
spaghetti
spaghetti
spaghetti
spaghetti

spaghetti
spaghetti
spaghetti
spaghetti
spaghetti
spaghetti
spaghetti
spaghetti

spaghetti
spaghetti
spaghetti
spaghetti
spaghetti
spaghetti
spaghetti
spaghetti

spaghetti
spaghetti
spaghetti
spaghetti
spaghetti
spaghetti
spaghetti
spaghetti

spaghetti
spaghetti
spaghetti
spaghetti
spaghetti
spaghetti
spaghetti
spaghetti

spaghetti
spaghetti
spaghetti
spaghetti
spaghetti
spaghetti
spaghetti
spaghetti

spaghetti
spaghetti
spaghetti
spaghetti
spaghetti
spaghetti
spaghetti.

8

SPAGHETTI

Spaghetti. Spaghetti spaghetti spaghetti spaghetti spaghetti spaghetti spaghetti spaghetti spaghetti spaghetti spaghetti spaghetti spaghetti spaghetti spaghetti
spaghetti spaghetti spaghetti spaghetti spaghetti spaghetti spaghetti spaghetti spaghetti spaghetti spaghetti spaghetti spaghetti spaghetti spaghetti spaghetti spaghetti
spaghetti spaghetti spaghetti spaghetti spaghetti spaghetti spaghetti spaghetti spaghetti spaghetti spaghetti spaghetti spaghetti spaghetti spaghetti spaghetti spaghetti
spaghetti spaghetti spaghetti spaghetti spaghetti spaghetti spaghetti spaghetti spaghetti spaghetti spaghetti spaghetti spaghetti spaghetti spaghetti spaghetti spaghetti
spaghetti spaghetti spaghetti spaghetti spaghetti spaghetti spaghetti spaghetti spaghetti spaghetti spaghetti spaghetti spaghetti spaghetti spaghetti spaghetti spaghetti
spaghetti spaghetti spaghetti spaghetti spaghetti spaghetti spaghetti spaghetti spaghetti spaghetti spaghetti spaghetti spaghetti spaghetti spaghetti spaghetti spaghetti
spaghetti spaghetti spaghetti spaghetti spaghetti spaghetti spaghetti spaghetti spaghetti spaghetti spaghetti spaghetti spaghetti spaghetti spaghetti spaghetti spaghetti
spaghetti spaghetti spaghetti spaghetti spaghetti spaghetti spaghetti spaghetti spaghetti spaghetti spaghetti spaghetti spaghetti spaghetti spaghetti spaghetti spaghetti
spaghetti spaghetti spaghetti spaghetti spaghetti spaghetti spaghetti spaghetti spaghetti spaghetti spaghetti spaghetti spaghetti spaghetti spaghetti spaghetti spaghetti
spaghetti spaghetti spaghetti spaghetti spaghetti spaghetti spaghetti spaghetti spaghetti spaghetti spaghetti spaghetti spaghetti spaghetti spaghetti spaghetti spaghetti
spaghetti spaghetti spaghetti spaghetti spaghetti spaghetti spaghetti spaghetti spaghetti spaghetti spaghetti spaghetti spaghetti spaghetti spaghetti spaghetti spaghetti
spaghetti spaghetti spaghetti spaghetti spaghetti spaghetti spaghetti spaghetti spaghetti spaghetti spaghetti spaghetti spaghetti spaghetti spaghetti spaghetti spaghetti
spaghetti spaghetti spaghetti spaghetti spaghetti spaghetti spaghetti spaghetti spaghetti spaghetti spaghetti spaghetti spaghetti spaghetti spaghetti spaghetti spaghetti
spaghetti spaghetti spaghetti spaghetti spaghetti spaghetti spaghetti spaghetti spaghetti spaghetti spaghetti spaghetti spaghetti spaghetti spaghetti spaghetti spaghetti
spaghetti spaghetti spaghetti spaghetti spaghetti spaghetti spaghetti spaghetti spaghetti spaghetti spaghetti spaghetti spaghetti spaghetti spaghetti spaghetti spaghetti
spaghetti spaghetti spaghetti spaghetti spaghetti spaghetti spaghetti spaghetti spaghetti spaghetti spaghetti spaghetti spaghetti spaghetti spaghetti spaghetti spaghetti
spaghetti spaghetti spaghetti spaghetti spaghetti spaghetti spaghetti spaghetti spaghetti spaghetti spaghetti spaghetti spaghetti spaghetti spaghetti spaghetti spaghetti
spaghetti spaghetti spaghetti spaghetti spaghetti spaghetti spaghetti spaghetti spaghetti spaghetti spaghetti spaghetti spaghetti spaghetti spaghetti spaghetti spaghetti
spaghetti spaghetti spaghetti spaghetti spaghetti spaghetti spaghetti spaghetti spaghetti spaghetti spaghetti spaghetti spaghetti spaghetti spaghetti spaghetti spaghetti
spaghetti spaghetti spaghetti spaghetti spaghetti spaghetti spaghetti spaghetti spaghetti spaghetti spaghetti spaghetti spaghetti spaghetti spaghetti spaghetti spaghetti
spaghetti spaghetti spaghetti spaghetti spaghetti spaghetti spaghetti spaghetti spaghetti spaghetti spaghetti spaghetti spaghetti spaghetti spaghetti spaghetti spaghetti
spaghetti spaghetti spaghetti spaghetti spaghetti spaghetti spaghetti spaghetti spaghetti spaghetti spaghetti spaghetti spaghetti spaghetti spaghetti spaghetti spaghetti
spaghetti spaghetti spaghetti spaghetti spaghetti spaghetti spaghetti spaghetti spaghetti spaghetti spaghetti spaghetti spaghetti spaghetti spaghetti spaghetti spaghetti
spaghetti spaghetti spaghetti spaghetti spaghetti spaghetti spaghetti spaghetti spaghetti spaghetti spaghetti spaghetti spaghetti spaghetti spaghetti spaghetti spaghetti
spaghetti spaghetti spaghetti spaghetti spaghetti spaghetti spaghetti spaghetti spaghetti spaghetti spaghetti spaghetti spaghetti spaghetti spaghetti spaghetti spaghetti
spaghetti spaghetti spaghetti spaghetti spaghetti spaghetti spaghetti spaghetti spaghetti spaghetti spaghetti spaghetti spaghetti spaghetti spaghetti spaghetti spaghetti
spaghetti spaghetti spaghetti spaghetti spaghetti spaghetti spaghetti spaghetti spaghetti spaghetti spaghetti spaghetti spaghetti spaghetti spaghetti spaghetti spaghetti
spaghetti spaghetti spaghetti spaghetti spaghetti spaghetti spaghetti spaghetti spaghetti spaghetti spaghetti spaghetti spaghetti spaghetti spaghetti spaghetti spaghetti
spaghetti spaghetti spaghetti spaghetti spaghetti spaghetti spaghetti spaghetti spaghetti spaghetti spaghetti spaghetti spaghetti spaghetti spaghetti spaghetti spaghetti
spaghetti spaghetti spaghetti spaghetti spaghetti spaghetti spaghetti spaghetti spaghetti spaghetti spaghetti spaghetti spaghetti spaghetti spaghetti spaghetti spaghetti
spaghetti spaghetti spaghetti spaghetti spaghetti spaghetti spaghetti spaghetti spaghetti spaghetti spaghetti spaghetti spaghetti spaghetti spaghetti spaghetti spaghetti
spaghetti spaghetti spaghetti spaghetti spaghetti spaghetti spaghetti spaghetti spaghetti spaghetti spaghetti spaghetti spaghetti spaghetti spaghetti spaghetti spaghetti
spaghetti spaghetti spaghetti spaghetti spaghetti spaghetti spaghetti spaghetti spaghetti spaghetti spaghetti spaghetti spaghetti spaghetti spaghetti spaghetti spaghetti
spaghetti spaghetti spaghetti spaghetti spaghetti spaghetti spaghetti spaghetti spaghetti spaghetti spaghetti spaghetti spaghetti spaghetti spaghetti spaghetti spaghetti
spaghetti spaghetti spaghetti spaghetti spaghetti spaghetti spaghetti spaghetti spaghetti spaghetti spaghetti spaghetti spaghetti spaghetti spaghetti spaghetti spaghetti
spaghetti spaghetti spaghetti spaghetti spaghetti spaghetti spaghetti spaghetti spaghetti spaghetti spaghetti spaghetti spaghetti spaghetti spaghetti spaghetti spaghetti
spaghetti spaghetti spaghetti spaghetti spaghetti spaghetti spaghetti spaghetti spaghetti spaghetti spaghetti spaghetti spaghetti spaghetti spaghetti spaghetti spaghetti
spaghetti spaghetti spaghetti spaghetti spaghetti spaghetti spaghetti spaghetti spaghetti spaghetti spaghetti spaghetti spaghetti spaghetti spaghetti spaghetti spaghetti
spaghetti spaghetti spaghetti spaghetti spaghetti spaghetti spaghetti spaghetti spaghetti spaghetti spaghetti spaghetti spaghetti spaghetti spaghetti spaghetti spaghetti
spaghetti spaghetti spaghetti spaghetti spaghetti spaghetti spaghetti spaghetti spaghetti spaghetti spaghetti spaghetti spaghetti spaghetti spaghetti spaghetti spaghetti
spaghetti spaghetti spaghetti spaghetti spaghetti spaghetti spaghetti spaghetti spaghetti spaghetti spaghetti spaghetti spaghetti spaghetti spaghetti spaghetti spaghetti
spaghetti spaghetti spaghetti spaghetti spaghetti spaghetti spaghetti spaghetti spaghetti spaghetti spaghetti spaghetti spaghetti spaghetti spaghetti spaghetti spaghetti
spaghetti spaghetti spaghetti spaghetti spaghetti spaghetti spaghetti spaghetti spaghetti spaghetti spaghetti spaghetti spaghetti spaghetti spaghetti spaghetti spaghetti
spaghetti spaghetti spaghetti spaghetti spaghetti spaghetti spaghetti spaghetti spaghetti spaghetti spaghetti spaghetti spaghetti spaghetti spaghetti spaghetti spaghetti
spaghetti spaghetti spaghetti spaghetti spaghetti spaghetti spaghetti spaghetti spaghetti spaghetti spaghetti spaghetti spaghetti spaghetti spaghetti spaghetti spaghetti
spaghetti spaghetti spaghetti spaghetti spaghetti spaghetti spaghetti spaghetti spaghetti spaghetti spaghetti spaghetti spaghetti spaghetti spaghetti spaghetti spaghetti
spaghetti spaghetti spaghetti spaghetti spaghetti spaghetti spaghetti spaghetti spaghetti spaghetti spaghetti spaghetti spaghetti spaghetti spaghetti spaghetti spaghetti
spaghetti spaghetti spaghetti spaghetti spaghetti spaghetti spaghetti spaghetti spaghetti spaghetti spaghetti spaghetti spaghetti spaghetti spaghetti spaghetti spaghetti
spaghetti spaghetti spaghetti spaghetti spaghetti spaghetti spaghetti spaghetti spaghetti spaghetti spaghetti spaghetti spaghetti spaghetti spaghetti spaghetti spaghetti
spaghetti spaghetti spaghetti spaghetti spaghetti spaghetti spaghetti spaghetti spaghetti spaghetti spaghetti spaghetti spaghetti spaghetti spaghetti spaghetti spaghetti
spaghetti spaghetti spaghetti spaghetti spaghetti spaghetti spaghetti spaghetti spaghetti spaghetti spaghetti spaghetti spaghetti spaghetti spaghetti spaghetti spaghetti
spaghetti spaghetti spaghetti spaghetti spaghetti spaghetti spaghetti spaghetti spaghetti spaghetti spaghetti spaghetti spaghetti spaghetti spaghetti spaghetti spaghetti
spaghetti spaghetti spaghetti spaghetti spaghetti spaghetti spaghetti spaghetti spaghetti spaghetti spaghetti spaghetti spaghetti spaghetti spaghetti spaghetti spaghetti
spaghetti spaghetti spaghetti spaghetti spaghetti spaghetti spaghetti spaghetti spaghetti spaghetti spaghetti spaghetti spaghetti spaghetti spaghetti spaghetti spaghetti
spaghetti spaghetti spaghetti spaghetti spaghetti spaghetti spaghetti spaghetti spaghetti spaghetti spaghetti spaghetti spaghetti spaghetti spaghetti spaghetti spaghetti
spaghetti spaghetti spaghetti spaghetti spaghetti spaghetti spaghetti spaghetti spaghetti spaghetti spaghetti spaghetti spaghetti spaghetti spaghetti spaghetti spaghetti
spaghetti spaghetti spaghetti spaghetti spaghetti spaghetti spaghetti spaghetti spaghetti spaghetti spaghetti spaghetti spaghetti spaghetti spaghetti spaghetti spaghetti
spaghetti spaghetti spaghetti spaghetti spaghetti spaghetti spaghetti spaghetti spaghetti spaghetti spaghetti spaghetti spaghetti spaghetti spaghetti spaghetti spaghetti
spaghetti spaghetti spaghetti spaghetti spaghetti spaghetti spaghetti spaghetti spaghetti spaghetti spaghetti spaghetti spaghetti spaghetti spaghetti spaghetti spaghetti
spaghetti spaghetti spaghetti spaghetti spaghetti spaghetti spaghetti spaghetti spaghetti spaghetti spaghetti spaghetti spaghetti spaghetti spaghetti spaghetti spaghetti
spaghetti spaghetti spaghetti spaghetti spaghetti spaghetti spaghetti spaghetti spaghetti spaghetti spaghetti spaghetti spaghetti spaghetti spaghetti spaghetti spaghetti
spaghetti spaghetti spaghetti spaghetti spaghetti spaghetti spaghetti spaghetti spaghetti spaghetti spaghetti spaghetti spaghetti spaghetti spaghetti spaghetti spaghetti
spaghetti spaghetti spaghetti spaghetti spaghetti spaghetti spaghetti spaghetti spaghetti spaghetti spaghetti spaghetti spaghetti spaghetti spaghetti spaghetti spaghetti
spaghetti spaghetti spaghetti spaghetti spaghetti spaghetti spaghetti spaghetti spaghetti spaghetti spaghetti spaghetti spaghetti spaghetti spaghetti spaghetti spaghetti
spaghetti spaghetti spaghetti spaghetti spaghetti spaghetti spaghetti spaghetti spaghetti spaghetti spaghetti spaghetti spaghetti spaghetti spaghetti spaghetti spaghetti
spaghetti spaghetti spaghetti spaghetti spaghetti spaghetti spaghetti spaghetti spaghetti spaghetti spaghetti spaghetti spaghetti spaghetti spaghetti spaghetti spaghetti
spaghetti spaghetti spaghetti spaghetti spaghetti spaghetti spaghetti spaghetti spaghetti spaghetti spaghetti spaghetti spaghetti spaghetti spaghetti spaghetti spaghetti

spaghetti spaghetti spaghetti spaghetti spaghetti spaghetti spaghetti spaghetti spaghetti spaghetti spaghetti spaghetti spaghetti spaghetti spaghetti spaghetti spaghetti
spaghetti spaghetti spaghetti spaghetti spaghetti spaghetti spaghetti spaghetti spaghetti spaghetti spaghetti spaghetti spaghetti spaghetti spaghetti spaghetti spaghetti
spaghetti spaghetti spaghetti spaghetti spaghetti spaghetti spaghetti spaghetti spaghetti spaghetti spaghetti spaghetti spaghetti spaghetti spaghetti spaghetti spaghetti
spaghetti spaghetti spaghetti spaghetti spaghetti spaghetti spaghetti spaghetti spaghetti spaghetti spaghetti spaghetti spaghetti spaghetti spaghetti spaghetti spaghetti
spaghetti spaghetti spaghetti spaghetti spaghetti spaghetti spaghetti spaghetti spaghetti spaghetti spaghetti spaghetti spaghetti spaghetti spaghetti spaghetti spaghetti
spaghetti spaghetti spaghetti spaghetti spaghetti spaghetti spaghetti spaghetti spaghetti spaghetti spaghetti spaghetti spaghetti spaghetti spaghetti spaghetti spaghetti
spaghetti spaghetti spaghetti spaghetti spaghetti spaghetti spaghetti spaghetti spaghetti spaghetti spaghetti spaghetti spaghetti spaghetti spaghetti spaghetti spaghetti
spaghetti spaghetti spaghetti spaghetti spaghetti spaghetti spaghetti spaghetti spaghetti spaghetti spaghetti spaghetti spaghetti spaghetti spaghetti spaghetti spaghetti
spaghetti spaghetti spaghetti spaghetti spaghetti spaghetti spaghetti spaghetti spaghetti spaghetti spaghetti spaghetti spaghetti spaghetti spaghetti spaghetti spaghetti
spaghetti spaghetti spaghetti spaghetti spaghetti spaghetti spaghetti spaghetti spaghetti spaghetti spaghetti spaghetti spaghetti spaghetti spaghetti spaghetti spaghetti
spaghetti spaghetti spaghetti spaghetti spaghetti spaghetti spaghetti spaghetti spaghetti spaghetti spaghetti spaghetti spaghetti spaghetti spaghetti spaghetti spaghetti
spaghetti spaghetti spaghetti spaghetti spaghetti spaghetti spaghetti spaghetti spaghetti spaghetti spaghetti spaghetti spaghetti spaghetti spaghetti spaghetti spaghetti
spaghetti spaghetti spaghetti spaghetti spaghetti spaghetti spaghetti spaghetti spaghetti spaghetti spaghetti spaghetti spaghetti spaghetti spaghetti spaghetti spaghetti
spaghetti spaghetti spaghetti spaghetti spaghetti spaghetti spaghetti spaghetti spaghetti spaghetti spaghetti spaghetti spaghetti spaghetti spaghetti spaghetti spaghetti
spaghetti spaghetti spaghetti spaghetti spaghetti spaghetti spaghetti spaghetti spaghetti spaghetti spaghetti spaghetti spaghetti spaghetti spaghetti spaghetti spaghetti
spaghetti spaghetti spaghetti spaghetti spaghetti spaghetti spaghetti spaghetti spaghetti spaghetti spaghetti spaghetti spaghetti spaghetti spaghetti spaghetti spaghetti
spaghetti spaghetti spaghetti spaghetti spaghetti spaghetti spaghetti spaghetti spaghetti spaghetti spaghetti spaghetti spaghetti spaghetti spaghetti spaghetti spaghetti
spaghetti spaghetti spaghetti spaghetti spaghetti spaghetti spaghetti spaghetti spaghetti spaghetti spaghetti spaghetti spaghetti spaghetti spaghetti spaghetti spaghetti
spaghetti spaghetti spaghetti spaghetti spaghetti spaghetti spaghetti spaghetti spaghetti spaghetti spaghetti spaghetti spaghetti spaghetti spaghetti spaghetti spaghetti
spaghetti spaghetti spaghetti spaghetti spaghetti spaghetti spaghetti spaghetti spaghetti spaghetti spaghetti spaghetti spaghetti spaghetti spaghetti spaghetti spaghetti
spaghetti spaghetti spaghetti spaghetti spaghetti spaghetti spaghetti spaghetti spaghetti spaghetti spaghetti spaghetti spaghetti spaghetti spaghetti spaghetti spaghetti
spaghetti spaghetti spaghetti spaghetti spaghetti spaghetti spaghetti spaghetti spaghetti spaghetti spaghetti spaghetti spaghetti spaghetti spaghetti spaghetti spaghetti
spaghetti spaghetti spaghetti spaghetti spaghetti spaghetti spaghetti spaghetti spaghetti spaghetti spaghetti spaghetti spaghetti spaghetti spaghetti spaghetti spaghetti
spaghetti spaghetti spaghetti spaghetti spaghetti spaghetti spaghetti spaghetti spaghetti spaghetti spaghetti spaghetti spaghetti spaghetti spaghetti spaghetti spaghetti
spaghetti spaghetti spaghetti spaghetti spaghetti spaghetti spaghetti spaghetti spaghetti spaghetti spaghetti spaghetti spaghetti spaghetti spaghetti spaghetti spaghetti
spaghetti spaghetti spaghetti spaghetti spaghetti spaghetti spaghetti spaghetti spaghetti spaghetti spaghetti spaghetti spaghetti spaghetti spaghetti spaghetti spaghetti
spaghetti spaghetti spaghetti spaghetti spaghetti spaghetti spaghetti spaghetti spaghetti spaghetti spaghetti spaghetti spaghetti spaghetti spaghetti spaghetti spaghetti
spaghetti spaghetti spaghetti spaghetti spaghetti spaghetti spaghetti spaghetti spaghetti spaghetti spaghetti spaghetti spaghetti spaghetti spaghetti spaghetti spaghetti
spaghetti spaghetti spaghetti spaghetti spaghetti spaghetti spaghetti spaghetti spaghetti spaghetti spaghetti spaghetti spaghetti spaghetti spaghetti spaghetti spaghetti
spaghetti spaghetti spaghetti spaghetti spaghetti spaghetti spaghetti spaghetti spaghetti spaghetti spaghetti spaghetti spaghetti spaghetti spaghetti spaghetti spaghetti
spaghetti spaghetti spaghetti spaghetti spaghetti spaghetti spaghetti spaghetti spaghetti spaghetti spaghetti spaghetti spaghetti spaghetti spaghetti spaghetti spaghetti
spaghetti spaghetti spaghetti spaghetti spaghetti spaghetti spaghetti spaghetti spaghetti spaghetti spaghetti spaghetti spaghetti spaghetti spaghetti spaghetti spaghetti
spaghetti spaghetti spaghetti spaghetti spaghetti spaghetti spaghetti spaghetti spaghetti spaghetti spaghetti spaghetti spaghetti spaghetti spaghetti spaghetti spaghetti
spaghetti spaghetti spaghetti spaghetti spaghetti spaghetti spaghetti spaghetti spaghetti spaghetti spaghetti spaghetti spaghetti spaghetti spaghetti spaghetti spaghetti
spaghetti spaghetti spaghetti spaghetti spaghetti spaghetti spaghetti spaghetti spaghetti spaghetti spaghetti spaghetti spaghetti spaghetti spaghetti spaghetti spaghetti
spaghetti spaghetti spaghetti spaghetti spaghetti spaghetti spaghetti spaghetti spaghetti spaghetti spaghetti spaghetti spaghetti spaghetti spaghetti spaghetti spaghetti
spaghetti spaghetti spaghetti spaghetti spaghetti spaghetti spaghetti spaghetti spaghetti spaghetti spaghetti spaghetti spaghetti spaghetti spaghetti spaghetti spaghetti
spaghetti spaghetti spaghetti spaghetti spaghetti spaghetti spaghetti spaghetti spaghetti spaghetti spaghetti spaghetti spaghetti spaghetti spaghetti spaghetti spaghetti
spaghetti spaghetti spaghetti spaghetti spaghetti spaghetti spaghetti spaghetti spaghetti spaghetti spaghetti spaghetti spaghetti spaghetti spaghetti spaghetti spaghetti
spaghetti spaghetti spaghetti spaghetti spaghetti spaghetti spaghetti spaghetti spaghetti spaghetti spaghetti spaghetti spaghetti spaghetti spaghetti spaghetti spaghetti
spaghetti spaghetti spaghetti spaghetti spaghetti spaghetti spaghetti spaghetti spaghetti spaghetti spaghetti spaghetti spaghetti spaghetti spaghetti spaghetti spaghetti
spaghetti spaghetti spaghetti spaghetti spaghetti spaghetti spaghetti spaghetti spaghetti spaghetti spaghetti spaghetti spaghetti spaghetti spaghetti spaghetti spaghetti
spaghetti spaghetti spaghetti spaghetti spaghetti spaghetti spaghetti spaghetti spaghetti spaghetti spaghetti spaghetti spaghetti spaghetti spaghetti spaghetti spaghetti
spaghetti spaghetti spaghetti spaghetti spaghetti spaghetti spaghetti spaghetti spaghetti spaghetti spaghetti spaghetti spaghetti spaghetti spaghetti spaghetti spaghetti
spaghetti spaghetti spaghetti spaghetti spaghetti spaghetti spaghetti spaghetti spaghetti spaghetti spaghetti spaghetti spaghetti spaghetti spaghetti spaghetti spaghetti
spaghetti spaghetti spaghetti spaghetti spaghetti spaghetti spaghetti spaghetti spaghetti spaghetti spaghetti spaghetti spaghetti spaghetti spaghetti spaghetti spaghetti
spaghetti spaghetti spaghetti spaghetti spaghetti spaghetti spaghetti spaghetti spaghetti spaghetti spaghetti spaghetti spaghetti spaghetti spaghetti spaghetti spaghetti
spaghetti spaghetti spaghetti spaghetti spaghetti spaghetti spaghetti spaghetti spaghetti spaghetti spaghetti spaghetti spaghetti spaghetti spaghetti spaghetti spaghetti
spaghetti spaghetti spaghetti spaghetti spaghetti spaghetti spaghetti spaghetti spaghetti spaghetti spaghetti spaghetti spaghetti spaghetti spaghetti spaghetti spaghetti
spaghetti spaghetti spaghetti spaghetti spaghetti spaghetti spaghetti spaghetti spaghetti spaghetti spaghetti spaghetti spaghetti spaghetti spaghetti spaghetti spaghetti
spaghetti spaghetti spaghetti spaghetti spaghetti spaghetti spaghetti spaghetti spaghetti spaghetti spaghetti spaghetti spaghetti spaghetti spaghetti spaghetti spaghetti
spaghetti spaghetti spaghetti spaghetti spaghetti spaghetti spaghetti spaghetti spaghetti spaghetti spaghetti spaghetti spaghetti spaghetti spaghetti spaghetti spaghetti
spaghetti spaghetti spaghetti spaghetti spaghetti spaghetti spaghetti spaghetti spaghetti spaghetti spaghetti spaghetti spaghetti spaghetti spaghetti spaghetti spaghetti
spaghetti spaghetti spaghetti spaghetti spaghetti spaghetti spaghetti spaghetti spaghetti spaghetti spaghetti spaghetti spaghetti spaghetti spaghetti spaghetti spaghetti
spaghetti spaghetti spaghetti spaghetti spaghetti spaghetti spaghetti spaghetti spaghetti spaghetti spaghetti spaghetti spaghetti spaghetti spaghetti spaghetti spaghetti
spaghetti spaghetti spaghetti spaghetti spaghetti spaghetti spaghetti spaghetti spaghetti spaghetti spaghetti spaghetti spaghetti spaghetti spaghetti spaghetti spaghetti
spaghetti spaghetti spaghetti spaghetti spaghetti spaghetti spaghetti spaghetti spaghetti spaghetti spaghetti spaghetti spaghetti spaghetti spaghetti spaghetti spaghetti
spaghetti spaghetti spaghetti spaghetti spaghetti spaghetti spaghetti spaghetti spaghetti spaghetti spaghetti spaghetti spaghetti spaghetti spaghetti spaghetti spaghetti
spaghetti spaghetti spaghetti spaghetti spaghetti spaghetti spaghetti spaghetti spaghetti spaghetti spaghetti spaghetti spaghetti spaghetti spaghetti spaghetti spaghetti
spaghetti spaghetti spaghetti spaghetti spaghetti spaghetti spaghetti spaghetti spaghetti spaghetti spaghetti spaghetti spaghetti spaghetti spaghetti spaghetti spaghetti
spaghetti spaghetti spaghetti spaghetti spaghetti spaghetti spaghetti spaghetti spaghetti spaghetti spaghetti spaghetti spaghetti spaghetti spaghetti spaghetti spaghetti
spaghetti spaghetti spaghetti spaghetti spaghetti spaghetti spaghetti spaghetti spaghetti spaghetti spaghetti spaghetti spaghetti spaghetti spaghetti spaghetti spaghetti
spaghetti spaghetti spaghetti spaghetti spaghetti spaghetti spaghetti spaghetti spaghetti spaghetti spaghetti spaghetti spaghetti spaghetti spaghetti spaghetti spaghetti
spaghetti spaghetti spaghetti spaghetti spaghetti spaghetti spaghetti spaghetti spaghetti spaghetti spaghetti spaghetti spaghetti spaghetti spaghetti spaghetti spaghetti
spaghetti spaghetti spaghetti spaghetti spaghetti spaghetti spaghetti spaghetti spaghetti spaghetti spaghetti spaghetti spaghetti spaghetti spaghetti spaghetti spaghetti
spaghetti spaghetti spaghetti spaghetti spaghetti spaghetti spaghetti spaghetti spaghetti spaghetti spaghetti spaghetti spaghetti spaghetti spaghetti spaghetti spaghetti
spaghetti spaghetti spaghetti spaghetti spaghetti spaghetti spaghetti spaghetti spaghetti spaghetti spaghetti spaghetti spaghetti spaghetti spaghetti spaghetti spaghetti
spaghetti spaghetti spaghetti spaghetti spaghetti spaghetti spaghetti spaghetti spaghetti spaghetti spaghetti spaghetti spaghetti spaghetti spaghetti spaghetti spaghetti
spaghetti spaghetti spaghetti spaghetti spaghetti spaghetti spaghetti spaghetti spaghetti spaghetti spaghetti spaghetti spaghetti spaghetti spaghetti spaghetti spaghetti
spaghetti spaghetti spaghetti spaghetti spaghetti spaghetti spaghetti spaghetti spaghetti spaghetti spaghetti spaghetti spaghetti spaghetti spaghetti spaghetti spaghetti
spaghetti spaghetti spaghetti spaghetti spaghetti spaghetti spaghetti spaghetti spaghetti spaghetti spaghetti spaghetti spaghetti spaghetti spaghetti spaghetti spaghetti
spaghetti spaghetti spaghetti spaghetti spaghetti spaghetti spaghetti spaghetti spaghetti spaghetti spaghetti spaghetti spaghetti spaghetti spaghetti spaghetti spaghetti
spaghetti spaghetti spaghetti spaghetti spaghetti spaghetti spaghetti spaghetti spaghetti spaghetti spaghetti spaghetti spaghetti spaghetti spaghetti spaghetti spaghetti
spaghetti spaghetti spaghetti spaghetti spaghetti spaghetti spaghetti spaghetti spaghetti spaghetti spaghetti spaghetti spaghetti spaghetti spaghetti spaghetti spaghetti
spaghetti spaghetti spaghetti spaghetti spaghetti spaghetti spaghetti spaghetti spaghetti spaghetti spaghetti spaghetti spaghetti spaghetti spaghetti spaghetti spaghetti
spaghetti spaghetti spaghetti spaghetti spaghetti spaghetti spaghetti spaghetti spaghetti spaghetti spaghetti spaghetti spaghetti spaghetti spaghetti spaghetti spaghetti
spaghetti spaghetti spaghetti spaghetti spaghetti spaghetti spaghetti spaghetti spaghetti spaghetti spaghetti spaghetti spaghetti spaghetti spaghetti spaghetti spaghetti
spaghetti spaghetti spaghetti spaghetti spaghetti spaghetti spaghetti spaghetti spaghetti spaghetti spaghetti spaghetti spaghetti spaghetti spaghetti spaghetti spaghetti
spaghetti spaghetti spaghetti spaghetti spaghetti spaghetti spaghetti spaghetti spaghetti spaghetti spaghetti spaghetti spaghetti spaghetti spaghetti spaghetti spaghetti
spaghetti spaghetti spaghetti spaghetti spaghetti spaghetti spaghetti spaghetti spaghetti spaghetti spaghetti spaghetti spaghetti spaghetti spaghetti spaghetti spaghetti
spaghetti spaghetti spaghetti spaghetti spaghetti spaghetti spaghetti spaghetti spaghetti spaghetti spaghetti spaghetti spaghetti spaghetti spaghetti spaghetti spaghetti
spaghetti spaghetti spaghetti spaghetti spaghetti spaghetti spaghetti spaghetti spaghetti spaghetti spaghetti spaghetti spaghetti spaghetti spaghetti spaghetti spaghetti
spaghetti spaghetti spaghetti spaghetti spaghetti spaghetti spaghetti spaghetti spaghetti spaghetti spaghetti spaghetti spaghetti spaghetti spaghetti spaghetti spaghetti
spaghetti spaghetti spaghetti spaghetti spaghetti spaghetti spaghetti spaghetti spaghetti spaghetti spaghetti spaghetti spaghetti spaghetti spaghetti spaghetti spaghetti
spaghetti spaghetti spaghetti spaghetti spaghetti spaghetti spaghetti spaghetti spaghetti spaghetti spaghetti spaghetti spaghetti spaghetti spaghetti spaghetti spaghetti
spaghetti spaghetti spaghetti spaghetti spaghetti spaghetti spaghetti spaghetti spaghetti spaghetti spaghetti spaghetti spaghetti spaghetti spaghetti spaghetti spaghetti
spaghetti spaghetti spaghetti spaghetti spaghetti spaghetti spaghetti spaghetti spaghetti spaghetti spaghetti spaghetti spaghetti spaghetti spaghetti spaghetti spaghetti
spaghetti spaghetti spaghetti spaghetti spaghetti spaghetti spaghetti spaghetti spaghetti spaghetti spaghetti spaghetti spaghetti spaghetti spaghetti spaghetti spaghetti
spaghetti spaghetti spaghetti spaghetti spaghetti spaghetti spaghetti spaghetti spaghetti spaghetti spaghetti spaghetti spaghetti spaghetti spaghetti spaghetti spaghetti
spaghetti spaghetti spaghetti spaghetti spaghetti spaghetti spaghetti spaghetti spaghetti spaghetti spaghetti spaghetti spaghetti spaghetti spaghetti spaghetti spaghetti
spaghetti spaghetti spaghetti spaghetti spaghetti spaghetti spaghetti spaghetti spaghetti spaghetti spaghetti spaghetti spaghetti spaghetti spaghetti spaghetti spaghetti
spaghetti spaghetti spaghetti spaghetti spaghetti spaghetti spaghetti spaghetti spaghetti spaghetti spaghetti spaghetti spaghetti spaghetti spaghetti spaghetti spaghetti
spaghetti spaghetti spaghetti spaghetti spaghetti spaghetti spaghetti spaghetti spaghetti spaghetti spaghetti spaghetti spaghetti spaghetti spaghetti spaghetti spaghetti
spaghetti spaghetti spaghetti spaghetti spaghetti spaghetti spaghetti spaghetti spaghetti spaghetti spaghetti spaghetti spaghetti spaghetti spaghetti spaghetti spaghetti
spaghetti spaghetti spaghetti spaghetti spaghetti spaghetti spaghetti spaghetti spaghetti spaghetti spaghetti spaghetti spaghetti spaghetti spaghetti spaghetti spaghetti
spaghetti spaghetti spaghetti spaghetti spaghetti spaghetti spaghetti spaghetti spaghetti spaghetti spaghetti spaghetti spaghetti spaghetti spaghetti spaghetti spaghetti
spaghetti spaghetti spaghetti spaghetti spaghetti spaghetti spaghetti spaghetti spaghetti spaghetti spaghetti spaghetti spaghetti spaghetti spaghetti spaghetti spaghetti
spaghetti spaghetti spaghetti spaghetti spaghetti spaghetti spaghetti spaghetti spaghetti spaghetti spaghetti spaghetti spaghetti spaghetti spaghetti spaghetti spaghetti
spaghetti spaghetti spaghetti spaghetti spaghetti spaghetti spaghetti spaghetti spaghetti spaghetti spaghetti spaghetti spaghetti spaghetti spaghetti spaghetti spaghetti
spaghetti spaghetti spaghetti spaghetti spaghetti spaghetti spaghetti spaghetti spaghetti spaghetti spaghetti spaghetti spaghetti spaghetti spaghetti spaghetti spaghetti
spaghetti spaghetti spaghetti spaghetti spaghetti spaghetti spaghetti spaghetti spaghetti spaghetti spaghetti spaghetti spaghetti spaghetti spaghetti spaghetti spaghetti
spaghetti spaghetti spaghetti spaghetti spaghetti spaghetti spaghetti spaghetti spaghetti spaghetti spaghetti spaghetti spaghetti spaghetti spaghetti spaghetti spaghetti
spaghetti spaghetti spaghetti spaghetti spaghetti spaghetti spaghetti spaghetti spaghetti spaghetti spaghetti spaghetti spaghetti spaghetti spaghetti spaghetti spaghetti
spaghetti spaghetti spaghetti spaghetti spaghetti spaghetti spaghetti spaghetti spaghetti spaghetti spaghetti spaghetti spaghetti spaghetti spaghetti spaghetti spaghetti
spaghetti spaghetti spaghetti spaghetti spaghetti spaghetti spaghetti spaghetti spaghetti spaghetti spaghetti spaghetti spaghetti spaghetti spaghetti spaghetti spaghetti
spaghetti spaghetti spaghetti spaghetti spaghetti spaghetti spaghetti spaghetti spaghetti spaghetti spaghetti spaghetti spaghetti spaghetti spaghetti spaghetti spaghetti
spaghetti spaghetti spaghetti spaghetti spaghetti spaghetti spaghetti spaghetti spaghetti spaghetti spaghetti spaghetti spaghetti spaghetti spaghetti spaghetti spaghetti
spaghetti spaghetti spaghetti spaghetti spaghetti spaghetti spaghetti spaghetti spaghetti spaghetti spaghetti spaghetti spaghetti spaghetti spaghetti spaghetti spaghetti
spaghetti spaghetti spaghetti spaghetti spaghetti spaghetti spaghetti spaghetti spaghetti spaghetti spaghetti spaghetti spaghetti spaghetti spaghetti spaghetti spaghetti
spaghetti spaghetti spaghetti spaghetti spaghetti spaghetti spaghetti spaghetti spaghetti spaghetti spaghetti spaghetti spaghetti spaghetti spaghetti spaghetti spaghetti
spaghetti spaghetti spaghetti spaghetti spaghetti spaghetti spaghetti spaghetti spaghetti spaghetti spaghetti spaghetti spaghetti spaghetti spaghetti spaghetti spaghetti
spaghetti spaghetti spaghetti spaghetti spaghetti spaghetti spaghetti spaghetti spaghetti spaghetti spaghetti spaghetti spaghetti spaghetti spaghetti spaghetti spaghetti
spaghetti spaghetti spaghetti spaghetti spaghetti spaghetti spaghetti spaghetti spaghetti spaghetti spaghetti spaghetti spaghetti spaghetti spaghetti spaghetti spaghetti
spaghetti spaghetti spaghetti spaghetti spaghetti spaghetti spaghetti spaghetti spaghetti spaghetti spaghetti spaghetti spaghetti spaghetti spaghetti spaghetti spaghetti
spaghetti spaghetti spaghetti spaghetti spaghetti spaghetti spaghetti spaghetti spaghetti spaghetti spaghetti spaghetti spaghetti spaghetti spaghetti spaghetti spaghetti
spaghetti spaghetti spaghetti spaghetti spaghetti spaghetti spaghetti spaghetti spaghetti spaghetti spaghetti spaghetti spaghetti spaghetti spaghetti spaghetti spaghetti
spaghetti spaghetti spaghetti spaghetti spaghetti spaghetti spaghetti spaghetti spaghetti spaghetti spaghetti spaghetti spaghetti spaghetti spaghetti spaghetti spaghetti
spaghetti spaghetti spaghetti spaghetti spaghetti spaghetti spaghetti spaghetti spaghetti spaghetti spaghetti spaghetti spaghetti spaghetti spaghetti spaghetti spaghetti
spaghetti spaghetti spaghetti spaghetti spaghetti spaghetti spaghetti spaghetti spaghetti spaghetti spaghetti spaghetti spaghetti spaghetti spaghetti spaghetti spaghetti
spaghetti spaghetti spaghetti spaghetti spaghetti spaghetti spaghetti spaghetti spaghetti spaghetti spaghetti spaghetti spaghetti spaghetti spaghetti spaghetti spaghetti
spaghetti spaghetti spaghetti spaghetti spaghetti spaghetti spaghetti spaghetti spaghetti spaghetti spaghetti spaghetti spaghetti spaghetti spaghetti spaghetti spaghetti
spaghetti spaghetti spaghetti spaghetti spaghetti spaghetti spaghetti spaghetti spaghetti spaghetti spaghetti spaghetti spaghetti spaghetti spaghetti spaghetti spaghetti
spaghetti spaghetti spaghetti spaghetti spaghetti spaghetti spaghetti spaghetti spaghetti spaghetti spaghetti spaghetti spaghetti spaghetti spaghetti spaghetti spaghetti
spaghetti spaghetti spaghetti spaghetti spaghetti spaghetti spaghetti spaghetti spaghetti spaghetti spaghetti spaghetti spaghetti spaghetti spaghetti spaghetti spaghetti
spaghetti spaghetti spaghetti spaghetti spaghetti spaghetti spaghetti spaghetti spaghetti spaghetti spaghetti spaghetti spaghetti spaghetti spaghetti spaghetti spaghetti
spaghetti spaghetti spaghetti spaghetti spaghetti spaghetti spaghetti spaghetti spaghetti spaghetti spaghetti spaghetti spaghetti spaghetti spaghetti spaghetti spaghetti
spaghetti spaghetti spaghetti spaghetti spaghetti spaghetti spaghetti spaghetti spaghetti spaghetti spaghetti spaghetti spaghetti spaghetti spaghetti spaghetti spaghetti
spaghetti spaghetti spaghetti spaghetti spaghetti spaghetti spaghetti spaghetti spaghetti spaghetti spaghetti spaghetti spaghetti spaghetti spaghetti spaghetti spaghetti
spaghetti spaghetti spaghetti spaghetti spaghetti spaghetti spaghetti spaghetti spaghetti spaghetti spaghetti spaghetti spaghetti spaghetti spaghetti spaghetti spaghetti
spaghetti spaghetti spaghetti spaghetti spaghetti spaghetti spaghetti spaghetti spaghetti spaghetti spaghetti spaghetti spaghetti spaghetti spaghetti spaghetti spaghetti
spaghetti spaghetti spaghetti spaghetti spaghetti spaghetti spaghetti spaghetti spaghetti spaghetti spaghetti spaghetti spaghetti spaghetti spaghetti spaghetti spaghetti
spaghetti spaghetti spaghetti spaghetti spaghetti spaghetti spaghetti spaghetti spaghetti spaghetti spaghetti spaghetti spaghetti spaghetti spaghetti spaghetti spaghetti
spaghetti spaghetti spaghetti spaghetti spaghetti spaghetti spaghetti spaghetti spaghetti spaghetti spaghetti spaghetti spaghetti spaghetti spaghetti spaghetti spaghetti
spaghetti spaghetti spaghetti spaghetti spaghetti spaghetti spaghetti spaghetti spaghetti spaghetti spaghetti spaghetti spaghetti spaghetti spaghetti spaghetti spaghetti
spaghetti spaghetti spaghetti spaghetti spaghetti spaghetti spaghetti spaghetti spaghetti spaghetti spaghetti spaghetti spaghetti spaghetti spaghetti spaghetti spaghetti
spaghetti spaghetti spaghetti spaghetti spaghetti spaghetti spaghetti spaghetti spaghetti spaghetti spaghetti spaghetti spaghetti spaghetti spaghetti spaghetti spaghetti
spaghetti spaghetti spaghetti spaghetti spaghetti spaghetti spaghetti spaghetti spaghetti spaghetti spaghetti spaghetti spaghetti spaghetti spaghetti spaghetti spaghetti
spaghetti spaghetti spaghetti spaghetti spaghetti spaghetti spaghetti spaghetti spaghetti spaghetti spaghetti spaghetti spaghetti spaghetti spaghetti spaghetti spaghetti
spaghetti spaghetti spaghetti spaghetti spaghetti spaghetti spaghetti spaghetti spaghetti spaghetti spaghetti spaghetti spaghetti spaghetti spaghetti spaghetti spaghetti
spaghetti spaghetti spaghetti spaghetti spaghetti spaghetti spaghetti spaghetti spaghetti spaghetti spaghetti spaghetti spaghetti spaghetti spaghetti spaghetti spaghetti
spaghetti spaghetti spaghetti spaghetti spaghetti spaghetti spaghetti spaghetti spaghetti spaghetti spaghetti spaghetti spaghetti spaghetti spaghetti spaghetti spaghetti
spaghetti spaghetti spaghetti spaghetti spaghetti spaghetti spaghetti spaghetti spaghetti spaghetti spaghetti spaghetti spaghetti spaghetti spaghetti spaghetti spaghetti.

9

SPAGHETTI

Spaghetti
spaghetti
spaghetti
spaghetti
spaghetti
spaghetti
spaghetti
spaghetti
spaghetti
spaghetti
spaghetti
spaghetti

spaghetti
spaghetti
spaghetti
spaghetti
spaghetti
spaghetti
spaghetti
spaghetti
spaghetti
spaghetti
spaghetti
spaghetti
spaghetti
spaghetti
spaghetti
spaghetti
spaghetti
spaghetti
spaghetti
spaghetti

spaghetti
spaghetti
spaghetti
spaghetti
spaghetti
spaghetti
spaghetti
spaghetti
spaghetti
spaghetti
spaghetti
spaghetti
spaghetti
spaghetti
spaghetti
spaghetti
spaghetti
spaghetti
spaghetti
spaghetti

spaghetti
spaghetti
spaghetti
spaghetti
spaghetti
spaghetti
spaghetti
spaghetti
spaghetti
spaghetti
spaghetti
spaghetti
spaghetti
spaghetti
spaghetti
spaghetti
spaghetti
spaghetti
spaghetti
spaghetti

spaghetti
spaghetti
spaghetti
spaghetti
spaghetti
spaghetti
spaghetti
spaghetti
spaghetti
spaghetti
spaghetti
spaghetti
spaghetti
spaghetti
spaghetti
spaghetti
spaghetti
spaghetti
spaghetti
spaghetti

spaghetti
spaghetti
spaghetti
spaghetti
spaghetti
spaghetti
spaghetti
spaghetti
spaghetti
spaghetti
spaghetti
spaghetti
spaghetti
spaghetti
spaghctti
spaghetti
spaghetti
spaghetti
spaghetti
spaghetti

spaghetti
spaghetti
spaghetti
spaghetti
spaghetti
spaghetti
spaghetti
spaghetti
spaghetti
spaghetti
spaghetti
spaghetti
spaghetti
spaghetti
spaghetti
spaghetti
spaghetti
spaghetti
spaghetti
spaghetti.

Spaghetti.

INDEX